TRAITÉ DE L'ACCORD DE L'ESPINETTE

Da Capo Press Music Reprint Series
GENERAL EDITOR: FREDERICK FREEDMAN
Vassar College

Spinet by Jean Denis, 1667, Musée de Varzy (Nûre), France. Photograph: René Michenet, Nevers.

TRAITÉ DE L'ACCORD DE L'ESPINETTE

by JEAN DENIS

New Introduction by
Alan Curtis
University of California at Berkeley

DA CAPO PRESS • NEW YORK • 1969

A Da Capo Press Reprint Edition

This Da Capo Press edition of Denis'
Traité de l'accord de l'espinette is
an unabridged republication of the second edition
published in Paris in 1650. It has been
reproduced from a copy owned by the Library of
Congress.

Library of Congress Catalog Card Number 68-16229

A Division of Plenum Publishing Corporation
227 West 17th Street
New York, N.Y. 10011

Printed in the United States of America

INTRODUCTION

Both the brevity and the modest title of Jean Denis' *Traité de l'accord de l'éspinette* have tended to obscure its importance as a document of seventeenth-century performance practice. Actually, only a few of its pages are devoted to instructions on tuning keyboard instruments (in meantone temperament) ; the remainder ranges from practical and fairly concise information about such important topics as ornamentation, fugues, modes, and liturgical practice, down to rambling anecdotes, told with naïve charm, of the famous *Vingt-Quatre Violons du Roy* hidden behind the tapestry in a "melancholy lady's bedroom" (p. 24), or the violent expression of musical taste by a certain white peacock (pp. 21–23).

The *éspinette* of the title would seem to refer not only to spinets and virginals, but to harpsichords generically — although, apparently, the term *clavecin* is also used in reference to the then relatively new two-manual instruments.[1] The publication of such a treatise in the mid-seventeenth century is, in fact, a symbol of the emergence of the harpsichord at that time as the ascendant instrument in France.[2] In the 1640's and 50's, a high point in

[1] In only three places: pp. 13, 24, and 40. The first reference is to the *clavecin* "with two keyboards, for passing all the unisons; a thing the lute cannot do; and organs have four of them for playing all kinds of music." Exactly what Denis means by "passing all the unisons" is not entirely clear, although it may simply be a reference to the upper manual doubling the lower at unison pitch. Frank Hubbard, *Three Centuries of Harpsichord Making* (Cambridge: Harvard University Press, 1965), 122f, takes it to refer to the crossing of independent parts on the same note, as in *pièces croisées* (*cf.* Louis Couperin's *Courante No. 16* or *Sarabande No. 25*). This would imply that Denis was already familiar with couplers, since the dogleg system does not provide independent manuals.

[2] The first edition, a twenty-four-page octavo, appeared in 1643, and is now extremely rare; the copy in the Bibliothèque Mazarine, Paris, is probably unique. The second edition is less scarce; seven copies exist in French public libraries, although not all of them include the *Table*. (I am indebted for this information to Mr. François Lesure.) Apart from minor discrepancies of typography and spelling

clavecin composition was attained with the works of Chambonnières, Louis Couperin, Du Mont, and many others—not to mention the visiting Froberger—while the lute was gradually losing its favor.

The Marquis de Mortemart,[3] to whom Denis dedicated his treatise, used to "unite his voice with the lute or the theorbo." But now subtle slurs are cast upon the lute, as Denis pours forth eulogies of the harpsichord addressed to a new generation willing to believe that the keyboard "is the most beautiful invention . . . in the world" (p. 1), and that the *éspinette* is "the most perfect instrument of all the instruments" (p. 9), "the most beautiful instrument in the world, and the most perfect" (p. 13). He makes it clear, however, that his treatise is addressed to *all* keyboard instruments (particularly all those using the same meantone temperament), and most of his remarks are directed as much to the organ as to the harpsichord. This is a manual, then, of interest not just to "spinet-tuners," but to all performers of seventeenth-century keyboard music, as well as to musical theorists and historians.

Jean Denis II (Paris, *ca.* 1600—Jan. 1, 1672) was the most prominent member of a large family of instrument makers.[4] His first studies, as he

(including *épinette* instead of *éspinette*), the first edition corresponds closely to the first twenty pages (up to *"Fin du premier Livre"*) of the 1650 edition. However, it lacks the quatrain (bottom of p. 2), the dedication (pp. 3–5), the tuning chart (p. 15), and the *Prelude* (pp. 16f.). The Bibliothèque Mazarine copy formerly belonged to the library of the *Pères Minimes* in Paris, the order to which Mersenne belonged. There are marginal annotations of disagreement (pp. 10, 13, and 14) which appear to be in the same hand as those in the Bibliothèque Nationale's copy of Parran's treatise (see note 14). Whether this is the hand of Mersenne, as seems likely, further research may reveal. The title page and pages 10, 13, and 14 of the Bibliothèque Mazarine's copy of the 1643 edition are reproduced in the Appendix, pages 41–49 below. As for the 1650 edition, it was augmented not only by the four chapters listed on the title page, but by the "white peacock" and "melancholy Lady" anecdotes, and the final section on "bad habits," as well. A complete copy of the expanded version in the Library of Congress, Washington, D.C., was used for the present reprint edition.

[3] Gabriel de Mortemart (Paris, 1600–1675), who became the first Duc de Mortemart in 1663, and was the father of four very renowned figures in French history: the Duc de Vivonne, the Abbesse de Fontevrault, Mme. de Thianges, and Mme. de Montespan, the famous mistress of Louis XIV. According to Voltaire, all four possessed the sparkling wit which he called "l'esprit des Mortemart."

[4] For a genealogical chart and extensive archival references, from which this biographical account is largely borrowed, see Colombe Samoyault-Verlet, *Les facteurs de clavecins parisiens, notices biographiques et documents (1550–1793)* (Paris: Société française de musicologie, Heugel et Cie, 1966) [Publications de la Société française de musicologie, 2e série, 11], 32ff.

mentions proudly in his treatise, were with Florent Helbic (Rouen, 1568—Paris, 1623), known as Le Bienvenu. This celebrated organist of the Sainte Chapelle and "the most excellent man of his day for playing the organ, and also for composing vocal music" (p. 19), had been a friend, and perhaps a student of Titelouze. No doubt, Bienvenu brought with him to Paris some of the Rouen master's ideas, which, in turn, may be reflected in his pupil's treatise. Denis, however, cites "Monsieur Titelouze" only once (p. 36), referring the reader to his three *Versets* on *Ut Queant Laxis.*[5] Unfortunately, all of Bienvenu's compositions have disappeared,[6] and of whatever music his pupil may have written, only the pragmatic little prelude (pp. 16f.) remains.

Denis had already assumed his lifelong post as organist of St. Barthélemy by 1628. Two years later, he married Antoinette Blondeau from Melun, who brought him a large dowry. In 1634, they moved from the rue Neuve-Saint-Denis to the rue Arcis, corner of the rue Jean-Pain-Mollet, at the sign of St. Cecilia, where they settled permanently (see the 1650 title page). That Denis was probably a difficult person with whom to disagree, we may surmise from the treatise, but there is evidence in the archives as well: in 1636, he was accused of having beaten one of his apprentices, and was obliged to pay the father eighteen *livres.*

By 1653, Denis' fame must have spread, for we find him called to Nancy to repair the *clavecin* of the Duchesse de Lorraine. It can hardly be coincidence that Constantijn Huygens, the incomparable Dutch diplomat, multilingual poet, and musician, wrote the following year of "wonderfull new compositions, both upon the Lute (in the new tunes) and the virginals—lessons which, if they will not please your ears with their harmonies, are to astonish your eyes with their glorious titles; speaking nothing less than Plaintes de Mad. la Duchesse de Lorraine, Plaintes de Mad. la Princesse sa fille . . . and such gallantrie more."[7] Quite possibly, these "wonderfull new

[5] J. Titelouze, *Hymnes de l'Eglise pour toucher sur l'orgue, Paris 1624,* modern edition, Norbert Dufourcq (Paris: Editions Bornemann, 1965), 32–9.

[6] For more about Bienvenu, see Pierre Hardouin, "Notes biographiques sur quelques organistes parisiens de XVIIe et XVIIIe siècles: Florent Bienvenu," *L'Orgue,* No. 82 (January–March 1957), 1–7. When Bienvenu died, in 1623, an inventory of his possessions mentioned one small and two large spinets, but did not indicate whether any of these had been made by his young pupil. See Hubbard, *op. cit.,* 313.

[7] J. A. Worp, "Nog eens Utricia Ogle en de musikale correspondentie van Huygens," *Tijdschrift voor Nederlandsche Muziekgeschiedenis* V, 134.

compositions" had been written for the ducal *clavecin* newly restored by Denis.

When he died, in 1672, Denis was a rich man. He must have made and sold a great many excellent instruments during his long and active lifetime. In the inventory at his decease, a finished harpsichord with two keyboards was valued at one hundred and twenty *livres*, and lying about his shop were several other harpsichords and spinets with painted soundboards, including an "ear-shaped" spinet with marbled case, a small spinet "with two cases" (an Italianate outer case?) and a landscape on the lid, two clavichords, and a little mechanical German spinet in ebony (probably by Bidermann of Augsburg).[8]

We know that the composer Lebègue owned a *clavecin* signed by Denis,[9] and that when Jean's granddaughter Marie-Angélique married the composer Louis Marchand (famous for narrowly escaping a contest with J. S. Bach in 1717), her dowry included such heirlooms as a pearl necklace and a *clavecin* worth four hundred *livres*.[10] Denis and his instruments were still remembered as late as 1785, when the article *"Clavecin"* in the *Encyclopédie méthodique des Arts et Métiers* stated that "the best makers of ordinary spinets have been the Ruckers, at Antwerp . . . and Jean Denis of Paris." Today, however, only one instrument signed by Jean Denis is known to have survived—a spinet dated 1667, in the Musée de Varzy.

By 1636, Denis had been praised as one of the three best instrument makers in France by no less a personage than the prolific musical theorist Père Marin Mersenne.[11] In a publication of 1644 (just a year after Denis' first edition appeared), Mersenne also classed him among those musicians possessing a delicate ear.[12] This, however, should not necessarily be taken to imply the good standing of Denis among his more scholarly contemporaries.

[8] Hubbard, *op. cit.*, 286f.

[9] See Norbert Dufourcq, "Une dynastie française: les Denis," *Revue de Musicologie* XXXVIII/2 (December 1956), 151.

[10] See Pierre Hardouin, "Notes sur quelques musiciens français du XVIIe siècle," *Revue de Musicologie XXXVIII*/1 (July 1956), 63. François Couperin's *L'Angélique*, from the fifth *Ordre* of his first book (1713), may have been named after Mme. Marchand, Jean Denis' granddaughter.

[11] *Harmonie universelle*, 3 vols. (Paris: S. Cramoisy, 1637), III, Book 3, 159.

[12] Père Marin Mersenne, *Cogitata physico-mathematica* (1644), quoted in Dufourcq, *op. cit.*, 151.

In fact, one cannot help noticing in his treatise a certain defensive, if not resentful, attitude toward musical scholars, particularly those who commended any temperament other than meantone. He reminds us that he does "not wish at all to speak of theory, but only of practice and usage" (p. 10), but in spite of this exemption, he seems to fear attack from learned theoreticians who might take him for "a simple workman" (p. 13), and lashes back at them in advance, declaring that "those who believe themselves the most learned are those who make the gravest faults" (p. 29).

There is a conspicuous lack of reference by Denis to any previous authors. Not only does he omit the customary homage to Greek, Roman, and medieval theorists, but he even shuns the kindly Mersenne. Only one contemporary writer is brought up at all, and then as the object of criticism. Père Parran[13] is quoted as having said "that there are only three types of fugues, wherein he is correct for vocal music; but for instrumental music, and principally for the organ, there are four types" (p. 34). Actually, Parran does not discuss different types of fugues in his treatise, but simply gives examples, in four parts, of *Fugue simple, double Fugue,* and *Contre-fugue, ou renversée.*[14] A fourth type, which Denis feels was unjustly omitted, is the monothematic, nonsectional *"fugue continue,"* a speciality of his teacher, Bienvenu. "It should be very short, and should not have more than four or five notes [in the subject] ; one can make some passage [*i.e.,* episode] in the middle of the piece, but it should not be more than a measure at most, and then one takes up the fugue [subject] again immediately" (p. 35).

Denis does refer to one other theorist, but without citing him by name. He is a learned mathematician recently arrived in Paris, who purports to have discovered "a great secret of an arithmetical tuning . . . [and] has presented it as being good and superior to harmonic tuning" (p. 9), by which Denis means meantone temperament. "It is a naïve tuning, capable of being done by anyone having an ear good enough to tune a perfect fifth; which is the contrary of the harmonic [*i.e.,* meantone] tuning, which is so difficult that one can find many quite excellent harpsichordists and organists who do not venture to undertake the tuning of a harpsichord." From this description, one would infer that the "learned mathematician" was trying

[13] The Jesuit Antoine Parran (1587–1650), who taught at Nancy.

[14] *Traité de la musique théorique et pratique, contenant les préceptes de la composition* (Paris: R. Ballard, 1639; reprinted, 1646). The three fugues are printed on pp. 107–11.

to pass off Pythagorean tuning as a new invention. A few pages later, however, Denis returns to the subject and explains that in this new tuning system, "all the semitones are equal" (p. 12). At an assemblage of "very respectable men," an attempt was made to convince him of this system's merits with the argument that not only can one play all chords in all keys, but one can also play better in tune with the lute and the viol.

Denis, perhaps deliberately, misrepresented the invention of the "learned mathematician." It was not at all a "naïve tuning" of "perfect fifths," but a complicated system corresponding to our present-day equal temperament, as extensively described in Mersenne's voluminous *Harmonie universelle* (1636-37). That the "learned mathematician" was Mersenne himself is unlikely, since he had "arrived in Paris" permanently as early as 1619. Moreover, since he had died in 1648, there would have been no necessity for anonymity in Denis' 1650 edition. Probably the reference is to one of Mersenne's friends: J. de Beaugrand, I. Boulliau, or J. B. Gallet, all of whom are mentioned in connection with equal temperament in the *Harmonie universelle*.[15]

Denis' reply to the proponents of equal temperament was that one should not spoil "the good and perfect tuning," meaning, of course, meantone, "in order to accommodate imperfect instruments." Rather, one should try to perfect the lute and viol, and to provide them with major and minor semitones; this should be done by replacing the frets with *pieds de mousches,* which could be made of ivory (p. 12). Although it is not entirely clear what Denis meant by this term, it is probable he was proposing irregular and unequally spaced frets which would enable the lute and viol to approximate the meantone temperament of keyboard instruments.

The "musical," the "harmonic," the "good and perfect tuning," of which Denis was such an avid partisan, was nothing more than the simplest possible meantone temperament, as first described by Pietro Aron in his *Toscanello in musica* (Venice, 1523; revised ed., 1529). In fact, those who wish to perform early music in meantone temperament today might well prefer Aron's to Denis' exposition of the system. According to Aron, one should begin by tuning all C's, and then proceed to tune upwards by a perfect third (which means, to the modern ear, tuning a low major third—low enough so that one hears a perfect consonance without beats); and

[15] See J. Murray Barbour, *Tuning and Temperament: A Historical Survey* (East Lansing: Michigan State College Press, 1951; second ed., 1953), 79.

thus all the E's are tuned. Then comes the only difficult procedure: the four intervening fifths must be tempered equally flat, thus:

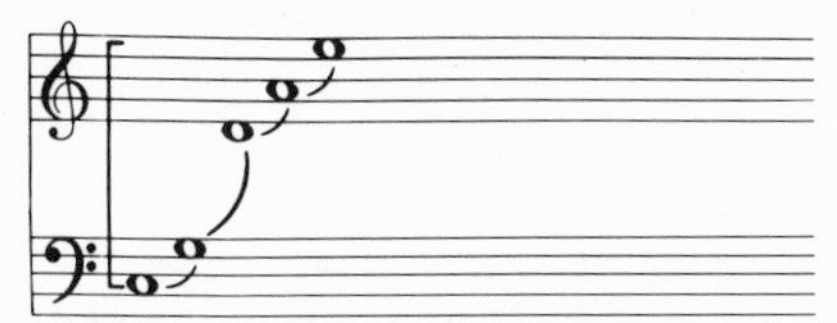

The resulting fifths are flatter than in equal temperament (by the difference between $\frac{1}{4}$ syntonic comma and $\frac{1}{12}$ ditonic comma) but, as was repeated again and again in Renaissance and Baroque treatises, only as flat as the ear can bear. (Denis, p. 10, says "we lower all the fifths by an amount, and in such a manner that the fifth seems still good, even though it is not just.") One can learn to judge this amount with practice, but close comparison of the four fifths in the following range is a useful aid:

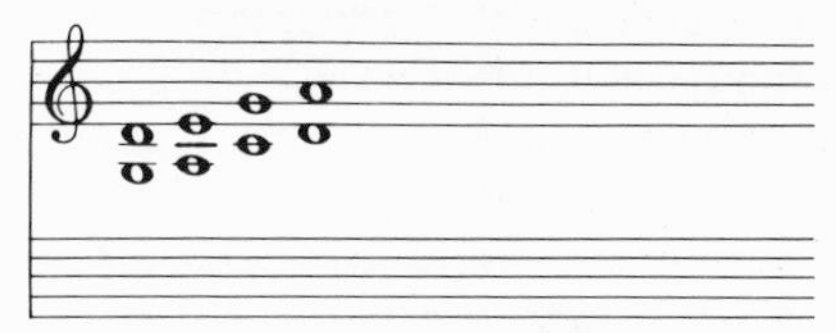

When they have been made equal, the *temperament* is finished and only *tuning* is left to be done. By pure thirds, either above or below the established five tones, the remaining seven tones can be tuned easily. Of course, the disadvantage of the system is that it allows no enharmonic tones. E♭ cannot serve as D♯, nor G♯ as A♭.

Just how far one can modulate within this area is demonstrated by Denis' "Prelude to test whether the tuning is good throughout" (pp. 16f.). While rather clumsy as a piece of music, it is actually quite skillfully conceived as a tuning test. Triads likely to have been slighted (B minor, F♯ minor, C♯ minor) are given special stress. It begins and ends in the E♭ major extremity (without, however, touching an A♭), and arrives at G♯ (E major, without D♯'s) at exactly the halfway point, in bar 18. His scheme of tuning (p. 15), while less direct and clear than the one described above, offers some useful triadic tests. The reader must be cautioned, however, that while *foible* means a flat fifth, tuning upwards, *forte* does not mean a sharp fifth, but rather a fifth tuned downwards, flat by exactly the same degree.

He begins his tuning on F, which is the first natural key if one is tuning upwards by fifths. This predilection probably accounts for Denis' irregular use of solmization syllables. The usual order was, and still is: natural (C), soft (F), and hard (G) hexachords, giving the note names C *ut, sol, fa;* D, *la, sol;* and so forth. But Denis thinks in terms of ascending fifths from F. Thus, in reversing the soft and natural hexachords, he also reverses the resulting first two syllables ,giving C *sol, ut, fa;* D *la, re, sol;* etc.

Denis' instruction that "all the fifths should be tempered equally" (pp. 10f.), has led J. Murray Barbour to cite him as a possible early proponent of equal temperament.[16] Nothing could be further from the truth. For Denis, the tonal universe simply did not exceed the boundaries of E♭ to G♯. Therefore, by "all the fifths" he means the twelve tones one obtains by starting on E♭ and proceeding upwards by flat fifths to G♯. Nowhere does he allow that a composer or performer might occasionally wish to have an A♭ instead of a G♯. Even Arnolt Schlick, as early as 1511, had recognized this possibility, and had recommended tuning the intervals from C♯ to G♯, and from A♭ to E♭ as slightly sharp fifths, so that the accidental between G and A could be used as either G♯ or A♭.[17] A better solution was developed in Italy, where *tasti spezzati* ("split-key" accidentals) permitted an extension of the meantone circle of fifths—or, rather, spiral of fifths, since the flat and sharp sides never meet enharmonically. Such keyboards became fairly common in Italy, and persisted even as late as 1759, and as far north as England (e.g., Handel's organ for the Foundling Hospital), but they seem never to have gained much favor in France.

Denis also neglects to mention that it is perfectly easy for a harpsichordist to retune his instrument, changing E♭'s to D♯'s, B♭'s to A♯'s, and F's to E♯'s, for instance, in order to play—still in meantone—in such an exotic tonality as F♯ minor. Louis Couperin's pavan in that key was, after all, composed during Denis' lifetime. Indeed, Denis' self-imposed limitations of E♭ to G♯ may be partly the result of his polemical determination to check the possible spread of equal temperament by popularizing the simplest form of meantone tuning, and by ignoring or avoiding the problems of meantone which were in fact responsible for the growing popularity of equal temperament. But, perhaps, his limitations should also be partly attributed to his employment as organist. While spinets and harpsichords

[16] *Ibid.*, 47.
[17] *Spiegel der Orgelmacher und Organisten* (Mainz: Peter Schöffer, 1511).

can be retuned in a few moments, it is utterly impractical to retune an organ in order to play temporarily in unusual keys. This technical difficulty, together with the sustained sound of the organ, which made the very sharp major thirds we tolerate today unbearable to most pre-nineteenth-century ears, kept the organ within the E♭ to G♯ realm longer than any other instrument.

This explanation helps to clarify Denis' "Advice to Choirmasters and Organists" (pp. 18–20), a rather confusing section for the modern reader. Briefly, he argues that the choirmaster must not ask the organist to play in keys which require accidentals outside the area of E♭ to G♯ just for the sake of providing the singers with a convenient range. Organists must avoid the *premier ton* on E, because the final cadence, with its major third, and the *battement de la cadence* (cadential trill), will all be false (since they require the leading tone of D♯, for which the excessively sharp tone of E♭ would have to serve). They must also avoid the *deuxième ton* on F, since it would involve a hexachord of E♭, F, G, G♯ (rather than the required A♭), B♭, C. Thus, any interval involving G♯ will be a "discord which wounds the ear" (p. 19). This is why his master, Bienvenu, forced to accompany the plainchant of the *Magnificat* in a key comfortable to the singers, chose simply to change key for his solo organ verses, rather than face the embarrassment of playing out-of-tune before visiting foreigners who would not understand the reason (meaning perhaps, Italians who would not realize the keyboard had no *tasti spezzati*). Finally, Denis also offers the interesting admonition to choirmasters that they must not, for the sake of a simple *faux-bourdon,* deny their organists "freedom of the hands, execution of beautiful passages, sudden attacks, *coulemens* [slides?] and *accents* [appoggiaturas? escaped tones? *cf.* François Couperin's table of ornaments], which give grace to the performance," so that there may be "harmonious melody in the Holy Church."

Among the most interesting and entertaining parts of the treatise are the final two chapters: "The manner of playing the harpsichord and organ well" and "On bad habits which occur among those who play instruments." In many ways these form a miniature predecessor to François Couperin's *L'Art de toucher le clavecin* (1717). Both writers recommend a natural hand position with the wrists level, and deplore the mannerisms, grunts, grimaces, and beating of time to which keyboard players, then as now, are all too prone. Both felt that while it is well and good to practice trills with the weaker fingers, there is no point in forcing them to play things which the stronger fingers can do more easily. Denis adds "one should let the *cadence* [cadential trill?] be made by the first two fingers [not counting the thumb?], and cut off the *cadence* and close it with the first finger [meaning the index finger?] subtly as I do it; and if I had wanted to do it the way one is supposed to, I would never have played the harpsichord nor the organ well" (p. 39). While this passage is far from clear, it seems possible that he means to recommend a cadential trill fingered as follows (the free trill notated only very approximately):

As early as 1650, Denis found it old-fashioned (as did J. S. Bach and F. Couperin in the next century) not to use the thumb of the right hand as well as the left: "When I began to study, teachers said, as a maxim, that one never played with the thumb of the right hand; but I have since realized that if one had as many hands as did Briareus [the giant of Greek mythology, with fifty heads and one hundred arms], one would use them all, even if there weren't enough keys on the keyboard" (p. 37).

Around 1650, ornamentation symbols were used only sporadically (as witness the Bauyn manuscript); thus Denis' discussion of ornamentation is naturally not as detailed and codified as that of later writers such as Couperin. However, both describe the mordent in similar terms, naming two types, the simple and the double (the latter too often ignored by modern performers):

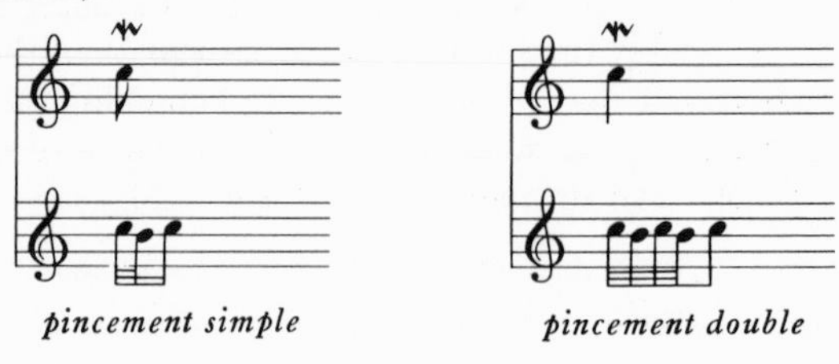

pincement simple *pincement double*

Denis also specified that in a series of four notes, one should play mordents on two of them, and two only: either the first and third or the second and fourth. "One should but rarely play mordents on eighth-notes which are in passages; and if the notes descend, one should *pincer au dessus* [what Couperin calls *tremblement lié*?], and if they are ascending, *pincer au dessous* [normal mordent]." This might be interpreted in the following manner:

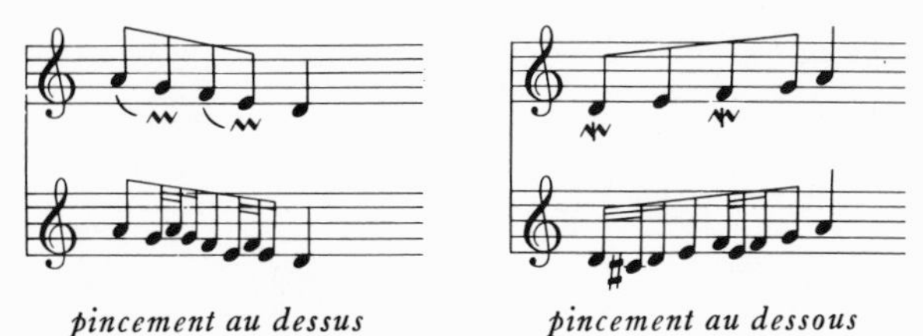

pincement au dessus *pincement au dessous*

Finally, Denis makes a point which, sensible as it is, does not seem to have occurred to any other theorist: "There are those who make grave faults, principally when they begin a fugue; for, whatever note it may be, they make a mordent as long as the value of the note, which is a grave fault; for example, if a fugue begins on G, they do an ornament involving G and A, and making it as long as the value of the note, no one knows how to judge whether it was meant to start on G or on A, and thus one does not know what the first note of the fugue subject is." Such observations are as valid now as they were three hundred years ago.

Alan Curtis

University of California
Berkeley
1967

TRAITÉ DE L'ACCORD DE L'ESPINETTE,

Auec la comparaison de son Clauier à la Musique vocale.

Augmenté en cette Edition des quatre Chapitres suiuants.

I. Traité des Sons & combien il y en a.
II. Traité des Tons de l'Eglise & de leurs estenduës.
III. Traité des Fugues & comme il les faut traiter.
IV. La maniere de bien jouër de l'Espinette & des Orgues.

Dedié à

MONSEIGNEVR LE MARQVIS DE MORTEMART.

Par I. DENIS, *Organiste de S. Barthelemy, & Maistre faiseur d'Instruments de Musique.*

A PARIS.
Par ROBERT BALLARD, seul Imprimeur du Roy pour la Musique.
Et se vendent chez l'Autheur, ruë des Arsis à l'Image Saincte Cecile.

M. DC. L.

SIXAIN.

CE petit Liure icy present
Traitant l'Accord de l'Espinette,
Des Regale, Fluste & Trompette,
Je le dedie au Tout-puissant,
Et pour seruir en tout lieu
Je l'ay dedié à DIEV.

Vn lit ce Liure pour apprendre,
L'autre le lit comme enuieux,
Il est aisé de me reprendre ;
Mais mal-aisé de faire mieux.

R.

A MONSEIGNEVR
MONSEIGNEVR

LE MARQVIS DE MORTEMART,

CONSEILLER DV ROY
EN SES CONSEILS D'ESTAT ET PRIVÉ,
Cheualier des Ordres de sa Majesté, premier
Gentilhomme de sa Chambre, Bailly & Capitaine de la Varenne du Louure, Chasteau de
Madrid, Parc & Bois de Boulongne, la Muette,
Pont S. Cloud, auec la Grurie desdits lieux, &
Capitaine du Cours de Challiot.

MONSEIGNEVR,

Entre toutes les belles qualitez dont vostre Illustre Personne est ornée & que vous possedez parfaitement, je puis dire que la Musique Theorique & Pratique, est celle à qui vous faites tenir le premier rang, & qu'à juste raison on vous doit appeller le Pere de cette science, puisqu'elle vous est infuse si profondement, & que vous la pratiquez si naturellement, qu'il n'y en a point qui vous esgale, ny qui puisse auec tant d'addresse joindre sa voix auec le Luth ou le Tuorbe, ou le premier Instrument qu'il vous plaist de prendre, comme estant merueilleusement versé en la cognoissance des plus melodieux: I'ay eu tant de fois l'honneur d'augmenter le nombre de vos Admirateurs, lors que vous estiez dans cet aymable diuertissement, qu'il faut que je dise auec eux, n'auoir jamais rien oüy de si doux, ny de si rauissant, & qu'en cela comme en toute autre chose, vostre Esprit est incomparable, & vostre Addresse inimitable; aussi faut-il vn autre discours que le mien pour en publier la gloire, qui des-ja est si cognuë parmy les Nations voisines, que tout ce que l'on en pourroit dire, ne seroit que repeter ce qu'ils en ont des-ja dit, qui n'approche encore que bien peu de la verité que j'ay si souuent recognuë, & si doucement entenduë. C'est pour ce sujet, MONSEIGNEVR, *que j'ay pris la hardiesse de vous offrir ce petit Traité de l'Accord de l'Espinette, comme vne recognoissance que je dois rendre à toutes vos perfections, que si vous daignez regarder, & fauoriser d'vn doux accueil ce petit Ouurage, qui n'est qu'vne partie de ce dont vous joüyssez si auantageuse-*

ment du Tout, j'oseray bien esperer que vostre Nom luy donnera l'entrée des meilleures Maisons, & que sous vostre adueu il y sera joyeusement receu, comme sortant de la main de celuy qui fait gloire d'estre,

MONSEIGNEVR,

Vostre tres-humble & tres-obeissant seruiteur,

I. DENIS.

Sur le ſujet de l'Accord de l'Eſpinette.

SONNET.

Pour mettre au jour vne harmonie parfaite,
Tu veux, Denis, nous monſtrer comme il faut
Pour bien joüer, accorder bas & haut,
Cordes & Tuyaux de l'Orgue & l'Eſpinette.

Et pour monſtrer la ſcience bien nette,
Tu dis qu'il faut que la baſſe ſoit haut,
Le deſſus bas en nature vn defaut,
Eſclaircis-nous & ne nous mets en queſte?

Pour accorder faut auoir bonne oreille,
En la nature cela n'eſt pas commun,
Tu le ſçais bien il n'y a doute aucun:

Ne t'eſbahis de ſi haute merueille,
Mets bien le poinct de la Quinte affoiblie,
Tu trouueras la parfaite harmonie.

I. D. L. I.

TRAITE' DE L'ACCORD DE L'ESPINETTE:

Auec la comparaiſon du Clauier d'icelle, à la Muſique Vocale.

L'Homme ſe plaiſt de ſon naturel à la Muſique, laquelle plus elle eſt harmonieuſe, plus elle rauit & delecte les eſprits qu'elle touche.

Or nos Peres ayans recognus que la voix de l'homme faiſoit de beaux chants, ont pour plus grãde commodité pris plaiſir à faire quelque Inſtrument qui pûſt contrefaire la voix, ou en approcher le plus que faire ſe pourroit. Tout conſideré, ils n'ont ſceu receuoir aucun Inſtrument plus propre que l'Eſpinette, quoy qu'elle ne fuſt pas encore cognuë: Mais comme ils ont par la voix recognu la difference des tons, ils ont commencé à faire le Clauier, qui eſt la plus belle Inuention (& parquoy on peut mieux comprendre la Muſique) qui ſoit au monde; la Muſique eſtant compriſe ſur ſix monoſyllabes, ſçauoir, *vt*, *ré*, *mi*, *fa*, *ſol*, *la*, & toute la difference diſtinguée par deux de ces ſyllabes, *mi*, *fa*, qu'ils ont miſe juſtement au milieu, comme voulant monſtrer que tout dépend de ces deux. Ils ont commencé à faire vn Clauier, ſçauoir des touches ſans feintes ou diezes; & pour preuues, les feintes & diezes n'ont point de propres ſyllabes que celles qu'elles empruntent des touches : Pour exemple le *C sol, vt, fa,* a vne feinte qui est nommée la feinte de *C sol, vt, fa;* celle de *E mi, la,* porte son nom d'elle-mesme, pource qu'en *E mi, la,* la touche, il ne se trouue point de *fa,* qui est le nom de la feinte, elle est marquée, comme celle de *B fa, b mi,* & a toutes ses proprietez pareilles, & sont marquées ainsi tous deux ♮, & toutes les autres sont marquées ainsi ✠, vne en *F vt fa,* & vne en *G ré, sol, vt*: La feinte de *B fa, b mi,* porte encore son nom d'elle mesme, parce que la touche ne porte que la seule voix de *mi* en montant, & en descendant, & n'y a qu'elle seule qui n'a qu'vne voix dans la Game, disant *B fa,* c'est la feinte; & *b mi,* c'est la touche. Nos Peres ayans donc fait le Clauier sans feintes, & recognoissans qu'il estoit bon pour vn seul genre, qui est le Diatonique, & que dans la Musique vocale ils pouuoient chanter de trois genres: & de tous les tons ils chercherent l'inuention d'adjouster les feintes: Et comme ils auoient fait le Clauier sans feintes, ils adjousterent des feintes par tout, où ils furent bien empeschez, recognoissant vne confusion dans l'ordre, ne pouuant que faire des feintes qui se rencontroient entre le *mi,* & le *fa,* & resolurent de les oster tout à fait, estans inutiles: Et est vne chose admirable & loüable à eux, d'auoir donné à chaque touche sa feinte; si bien que l'on ne peut adjouster ne diminuer, & se rencontrant plus de touches que de feintes, auoir donné à chacune la sienne, dans vn si bel ordre qu'il ne se peut plus: sçauoir au *C sol, vt, fa,* sa feinte; au *D la, ré, sol,* point du tout, quoy qu'il ait trois voix distinctes pour vn seul son, en *E mi, la,* comme il est escrit cy-deuant: en *F vt, fa,* vne feinte: en *G ré, sol, vt,* vne feinte: *A mi, la, ré,* n'en a point: en *B fa, b mi,* comme il est escrit cy-deuant. La difference des *b mols* aux diezes, est, que les *b mols* font descendre de dre de leurs touches, & les diezes montent. Comme ils ont veu que les touches & les feintes estoient fort bien rangées selon leurs ordres, ils ont cherché l'accord, qui est le sujet de ce Traité.

Estant venu en cette ville de Paris vn homme, lequel est fort docte és Mathematiques, & croyant auoir trouué vn grand secret d'vn accord Arithmetique, qu'il a rencontré par les nombres, l'a presenté pour bon & meilleur que l'accord Harmonique, dont je feray voir le contraire, monstrant que son accord ne vaut rien, que c'est vn accord innocent, que toutes personnes sont capables de faire, ayant l'oreille bonne pour accorder vne quinte juste; qui est le contraire de l'accord Harmonique, lequel est si difficile, qu'il se rencontre beaucoup de personnes qui touchent fort bien de l'Espinette & des Orgues, & n'oseroient entreprēdre d'accorder vne Espinette: Il y en a qui le font bien, mais ils sont peu. L'accord de l'Espinette & des Orgues est pareil & sans difference, les Ouuriers de l'vn & de l'autre en sont demeurez d'accord; & parlans de l'vn, j'entends parler de l'autre. Ie dis donc que l'Espinette est le plus parfait Instrument de tous les Instruments, ayans toutes ces cordes portant chacune son son, comme on peut monstrer toutes les nottes de la Musique selon leurs degrez. Dans la Musique par escrit, le Clauier de l'Espinette comprend tout, ce que pas vn des autres Instruments ne peut faire, si ce n'est par plusieurs personnes & plusieurs Instruments, ce qu'vn seul Organiste peut faire, soit Musique à 4. 5. 6. 7. 8. 9. & 10. parties, ayant dix doigts & deux pieds de quoy il se peut seruir, & qu'il n'y a point de Musique qui passe 4. & 5. parties, qui soit sans Pauses ou sans Vnissons.

Parlons de nos Accords & de leurs differences, comme

nos Anciens voulurent accorder l'Espinette, ayant composé le Clauier dans sa perfection, comme il est maintenant, ils accorderent, comme j'ay dit cy-deuant, innocemment toutes les quintes iustes, qui est l'accord que cét homme nous presente, & venant à toucher, ils trouuerent que cét accord repugnoit fort à leurs esperances, & que les tierces maieures estoient trop fortes, & si rudes que l'oreille ne les pouuoit souffrir, & qu'ils ne trouuoient point de semitons ny maieurs ny mineurs, mais vn semi-ton moyen, qui n'est ny maieur ny mineur, estant plus foible que le majeur, & plus fort que le mineur; & que les cadences ne valoient rien, ne pouuant souffrir cette rudesse qui blessoit si fort le sens de l'oüye, qui donne le plus de plaisir à nostre ame; se resolurent de temperer si bien cét accord, que l'oreille fust aussi, contente de la Musique Instrumentale, que de la Vocale: Et voulant baisser les tierces majeures, se trouua que par necessité il falloit baisser toutes les quintes & les temperer en sorte que l'oreille le peust souffrir. De vous dire qu'ils ne se soient seruis de la Theorie de la Musique, & qu'ils n'eussent vn Monochorde pour trouuer les proportions; je ne nie pas cela. Ie ne desire point parler de la Theorie, mais seulement de la Pratique & vsage. Et comme nous accordons l'Espinette dans la perfection (je dis perfection, pource qu'on ne peut adjouster ne diminuër en cét accord sans gaster tout) nous baissons toutes les quintes d'vn poinct, & en telle sorte que la quinte paroist encor bonne, quoy qu'elle ne soit pas juste, & sur la quantité des quintes qui sont douze en tout, les autres n'estant que repliques, les baissant toutes d'vn point, faite le si petit que vous voudrez, il faut douze poincts, qui est la difference de la premiere à la derniere quinte, & toutes les quintes doiuent estre temperées eſgallement, & toutes pareilles, & la premiere corde eſt la feinte de *E mi, la*, & ſa quinte *B fa*, qu'il faut tenir foible, & de la feinte *B fa*, à la touche *F vt, fa*, qu'il faut encore tenir foible, & ainſi des autres, comme la Pratique nous enſeigne; & la derniere corde eſt la feinte de *G ré, ſol, vt*, qui eſt la fin de l'accord. Faut faire les Octaues toutes juſtes, eſtant l'accord le plus parfait de tous. Or de ces deux accords le meilleur eſt celuy qui approche le plus de la Muſique Vocale, lequel eſt noſtre accord ordinaire & Harmonique, ayant tous les tons, ſemi-tons, majeurs, mineurs, & cadences en meſmes lieux & endroits, comme les Maiſtres de Muſique eſcriuent leurs compoſitions ſans aucunes differences, n'ayans qu'vn ton majeur & vn ton ſuperflu, le ton majeur eſtant compoſé d'vn ſemi-ton majeur, & d'vn ſemi-ton mineur, & le ton ſuperflu eſt compoſé de deux ſemi-tons majeurs, dont les Muſiciens ne ſe ſeruent point du tout: & ſe rencontre en deux endroicts qui ſont aux deux touches qui n'ont point de feintes ſçauoir en *D la, ré, ſol*, & en *A mi, la, ré*, qui ont des deux coſtez vn ſemi-ton majeur, & toutes les autres touches ont vne feinte d'vn ſemi ton mineur qui eſt le ſemi-ton qui ne ſert qu'à la Cromatique; & quant à l'Harmonique on ne s'en ſert point du tout, ſoit pour chanter, ou pour jouër des Inſtruments. Les Theoriciens trouuent trois ſortes de tons, & trois ſortes de ſemi-tons, ſçauoir ton majeur, ton mineur, & ton ſuperflu; & auſſi trois ſortes de ſemi-tons, ſemi-ton majeur, ſemi-ton mineur, & ſemi-ton moyen, ce qui n'eſt point en vſage, ſçauoir le ton mineur, & le ſemi-ton moyen; & pour faire le ton mi neur, il eſt compoſé d'vn ſemi-ton moyen & d'vn ſemi-ton mineur plus foible que le ton majeur: Mais dans la pratique de la Muſique, & en noſtre accord Harmonique, il ne ſe trouue point de ton mineur, ny de ſemiton moyen : la difference des deux accords eſt, qu'en l'accord qu'on nous preſente, il n'y a ny ſemi-ton majeur ny ſemi-ton mineur, mais le ſemi-ton moyen & le ton majeur pareils aux noſtres ; car pour faire le ſemi-ton moyen, on baiſſe le ſemi-ton majeur, & ce faiſant on hauſſe le mineur, & par ce moyen tous les ſemi-tons ſont égaux. Or eſtant en l'aſſemblée de fort honneſtes gens, & entendant cét accord que je trouuay fort mauuais & fort rude à l'oreille, leur diſant mon ſentiment, & que perſonne ne le pouuoit trouuer bon, ils me reſpondirent que ie n'y eſtois pas accouſtumé : Et je leurs dis, que ſi on leur preſentoit vn feſtin de viandes ameres & de mauuais gouſt, & qu'on leur donnaſt du vinaigre à boire, dont ils ſe pourroient plaindre auec raiſon : ſi on leur diſoit qu'ils n'y ſont pas accouſtumez, ce ne ſeroit pas vne bonne raiſon & bien receuable, je voulus ſçauoir à quoy cét accord eſtoit bon ; celuy qui auoit accordé l'Eſpinette me dit qu'il eſtoit bon pour en jouër, & détonner de ſemi-ton en ſemi-ton, & que tous les accords ſe trouuoient bons par tout, & qu'il s'accordoit mieux que le noſtre auec le Luth & la Viole : je luy dis qu'il auoit mauuaiſe raiſon de vouloir gaſter le bon & parfait accord pour l'accommoder à des Inſtruments imparfaits, & qu'il falloit pluſtoſt chercher la perfection du Luth & de la Viole, & trouuer le moyen de faire que les ſemi-tons fuſſent majeurs & mineurs, comme nous les auons ſur l'Eſpinette, ce qui ne ſe peut faire auec les touches des cordes dont on touche les Luths, pource qu'il faudroit qu'elles fuſſent faites en pieds de mouſches ; ce qui ſe peut faire par le moyen des touches d'yuoire, que lon peut mettre par le compas & par la proportion du Monochorde, & par ce moyen on accordera le Luth & la Viole, auec l'Eſpinnette, dans l'accord musical & harmonique : mais de receuoir vn discord au lieu d'vn bon accord, je ne pense pas qu'vn homme bien sensé le reçoiue : quelques-vns ont creu que s'estoit bien parlé que de dire *feintes*, les autres que s'estoit mieux dit *dieses* ; mais elles ont tous les deux noms, sçauoir du costé du semi ton majeur, faut dire *diese* , & du costé du semiton mineur la nommer *feinte*, pource que ce n'est qu'vn *fa feint* ; & de la touche à sa propre feinte, n'y a qu'vn semiton mineur, les vns en montant, les autres en descendant. Voila tout ce qui se peut dire de l'accord du plus bel Instrument du monde, & le plus parfaict ; veu qu'il ne se peut faire de Musique qu'il n'exprime & n'execute tout seul, ayant des Claueçins à deux Clauiers , pour passer tous les Vnissons ; ce que le Luth ne sçauroit faire : & les Orgues en ont quatre pour jouër toute sorte de Musique. Autres ont dit que pour accorder l'Espinette en cét accord qu'on nous presenre, il faut accorder *vt*, *ré*, *mi*, *fa*, *sól*, *la*, de touche en touche, comme la voix nous enseigne ; ce que je dis estre tres-faux, pource que c est accorder comme le flageoller, lequel s'accorde sans preuue : mais ayant vn Clauier où toutes les preuues sont, c'est faire tort à l'Instrument de ne se pas seruir de ses proprietez : & comme j'ay dit du flageollet, il n'a point de son qui se puisse preuuer contre l'autre, ny la voix seule. Aussi quãd je me suis rencontré dans les Assemblées (pource qu'on me tient pour simple ouurier) il semble que s'estoit excés que de m'escouter : mais estant Organiste & ouurier, & voyant des personnes qui en parlent, & ne sçauent ce qu'ils disent ; i'ay escrit ce petit Liure, lequel ie prie le Lecteur de receuoir d'aussi bon gré, comme son seruiteur le presente de bon cœur.

Ordre pour bien accorder l'Eſpinette.

FAut commencer par la clef de *F vt, fa*, puis accorder ſon Octaue juſte. Apres accorder le *C ſol, vt, fa*, la Clef à la quinte de la Clef *F vt, fa*, & l'accorder toute juſte, puis la baiſſer de ſi peu qu'elle paroiſſe encor bonne, & que l'oreille la puiſſe ſouffrir. De *C ſol, vt, fa*, faut accorder ſon octaue en bas juſte; puis accorder ſa quinte *G ré, ſol, vt*, en meſme eſgalité, en la tenant foible au meſme poinct que la premiere: De plus accorder ſon Octaue juſte, qui eſt la Clef de *G ré, ſol, vt*; accorder en *D la, ré, ſol*, apres accorder le *D la ré, ſol*, ſa quinte en meſme eſgalité, toujours foible comme les autres: puis en demeurer là: & faire la preuue qui ſe fait de cette ſorte: Faut accorder le *B fa*, proche la Clef de *C ſol, vt, fa*, auec *F vt, fa*, proche la Clef de *G ré, ſol, vt*, à la quinte; & tenir ce *B fa*, vn peu haut, afin que cette quinte ſoit temperée & eſgale aux autres. Apres toucher le *D la, ré, ſol*, que vous auez accordé, qui fait la tierce majeure contre *B fa*, & la tierce mineure contre *F vt, fa*: Et quand cét accord là ſe trouue bon, tout ce qu'auez accordé eſt bien, pource que l'accord ne ſe preuue que par les tierces; & quand elles ſe rencontrent bonnes par tout, l'accord eſt bon.

Apres il faut continuër & ſuiure l'ordre du commencement, & aller d'octaue en quinte juſques à la derniere corde, & ne point accorder de quinte depuis la premiere preuue cy-deuant, qu'on ne preuue ſi la tierce eſt bonne dedans, comme vous pouuez voir en l'exemple ſuiuant. La premiere corde ſur quoy ſont baiſſées toutes les quintes, eſt la feinte de *E mi, la*, & la derniere eſt la feinte de *G ré, ſol, vt*; & ainſi toutes les cordes du milieu du Clauier, tant touches que feintes, ſeront d'accord : Il faut ſuiure apres par octaues, de touches en touches, & de feintes en feintes par en bas & par en haut, & toûjours preuuer par tierces & par quintes.

Comme il faut accorder l'Eſpinette & le Preſtan des Orgues.

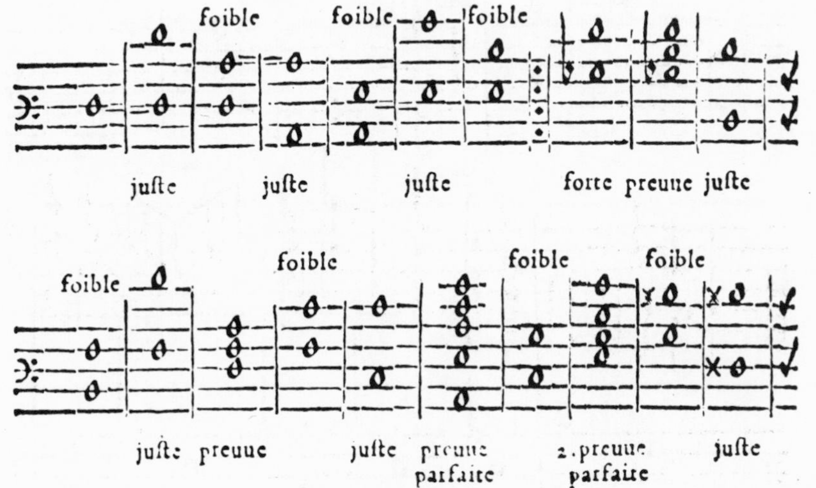

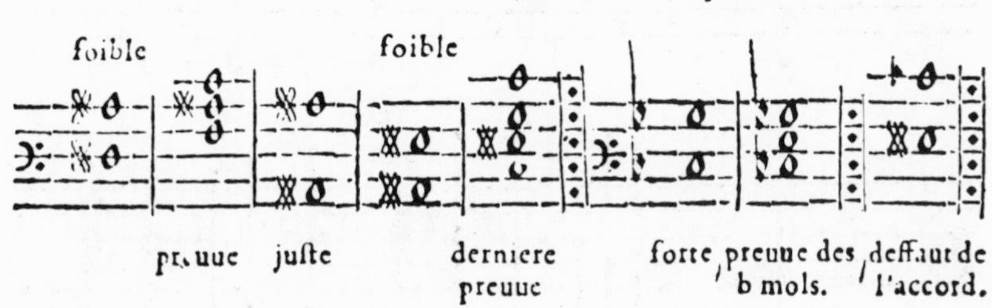

Apres faut ſuiure d'Octaue en Octaue, comme il eſt deſmonſtré dans le narré cy-deuant.

Prelude pour sonder si l'Accord est bon par tout.

Aduis à Messieurs les Maistres de Musique & Messieurs les Organistes.

APres auoir traité de l'accord de l'Espinette & des Orgues, & démonstré comme il est parfait en ses accords, tous égaux en leur espece; il faut entendre que les Organistes ne doiuent point détonner, ny les tons de l'Eglise, ny les modes de la Musique, que sur les cordes ou touches naturelles, & que les Maistres de Musique ne doiuent & ne peuuent les y conrraindre, mais ils doiuent sçauoir détonner sur toutes les cordes pour monstrer qn'ils le sçauent faire, pource que de faire détonner du premier en *E mi, la*, il faut qu'il aduouë que la cadence finale ne vaut rien, la faisant sur vn semy-ton mineur, ny la tierce majeure de ladite cadance ne vaut rien aussi, estant plus grande que la tierce majeure: la tierce majeure est composée de deux tons entiers & égaux, & la tierce superfluë est composée d'vn ton majeur & d'vn ton superflu, & par cõsequent est trop forte & ne vaut rien, ny le battement de la cadence aussi. L'Organiste ne doit point du tout détonner ny toucher de ce ton là, ny aussi du deuxiesme en *F vt, fa*, pource que la tierce mineure, qui ne vaut rien estant trop foible, & composée d'vn ton majeur, & d'vn semiton mineur; & se faut seruir d'vn ton superflu touchant *ré*, *F vt, fa*, *mi* en *G ré, sol, vt, fa* la feinte de *G ré, sol, vt*, qui est le semiton mineur, qui ne vaut rien; *sol* en *B fa*, qui est le ton superflu, & *la C sol, vt, fa*. Or considerez que voila pour faire vne belle Musique enragée. Et puisque toutes les consonances harmoniques sont dissonantes & discordantes, il n'est pas raison que les Organistes les touche, comme tierce majeure, tierce mineure, ſexte majeure, ſexte mineure, & le ſemiton mineur de *mi, fa*, ſont tous diſcords qui bleſſent l'ouye. Les Organiſtes ne doiuent point du tout toucher de ces tons là, & les Maiſtres de Muſique doiuent auoir la diſcretion & prendre garde de s'accommoder auec l'Organiſte aux cordes & accords juſtes & harmonieux; & que pour vn ſimple faux-bourdon oſter toutes les conceptions de l'eſprit de l'Organiſte, la liberté des mains, l'execution des beaux paſſages, les coups de main, les coulemens & accents qui donnent la grace au touchement, & meſme gaſter l'accord de l'Orgue qui eſt ſi parfaict, cela n'eſt pas raiſonnable. Et Meſſieurs les Chanoines des Chapitres où il y a Muſique doiuent prendre garde pour leur contentement, que l'Organiſte puiſſe toucher auec liberté, afin que le Seruice de Dieu ſoit fait par harmonieuſe melodie en la ſaincte Egliſe.

Cette leçon n'eſt point de moy, je l'ay appriſe de mon maiſtre qui eſtoit le plus excellent homme de ſon temps pour toucher les Orgues, & auſſi pour la compoſition de la Muſique Vocale. Il eſtoit Organiſte de la Saincte Chappelle de Paris, & ſe nommoit Florent le Bien-venu: Eſtant auec luy à ſon Orgue, je luy fis cette demande: Monſieur, pourquoy touchez vous l'Antienne de *Magnificat* d'vn ton, & le *Magnificat* d'vn autre? Il me dit, que pour le Plain-chant il le faiſoit pour la commodité des Chantres; & pour le *Magnificat*, le Maiſtre de ceans m'a voulu aſſujettir à le toucher à ſa commodité, ce que je ne voulus faire, & luy ay dit, Vous voulez chanter à voſtre aiſe, & moy je veux toucher à la mienne; il viendra, ce me dit-il, des hommes, qui d'Italie, qui d'Allemaigne, qui d'Eſpagne, que ſçay-je d'où, qui me viendront eſcouter, & entendront que je ne feray rien qui vaille, quand je toucherois aussi bien que pourroit faire vn Ange, pource que l'Orgue est discordée de ces tons là. C'est pourquoy les Organistes ne le doiuent point faire, puis qu'il ne l'a pas voulu faire luy qui estoit si expert.

Fin du premier Liure.

De la quantité & diuersité des Sons.

APres auoir consideré & grandement recherché tout ce qui despend de tous les sons qui font harmonie, & qui peuuent faire accord & consonance, pour estre jugé par le sentiment de l'oreille, & desirant donner contentement à tous ceux qui ayment la Musique: Ie n'ay sceu trouuer rien que ce qui a esté fait & apres y auoir bien pensé, il ne se peut rien faire de nouueau qui ne soit pris des quatre sons vniuersels, qui sont: La voix de l'homme pour le premier: Le son des Orgues, qui est pris de l'air & du vent, pour le second: Le son des Cordes, tant d'acier, d'or, d'argent, de leton, que de boyau, pour le troisiesme: Et pour le quatriesme le son du Marteau, qui est le son des cloches & du tambour, apres ces quatre il ne s'en peut trouuer d'autres. On me pourroit objecter que les oyseaux ont vn son de voix fort agreable & delicieux, & mesme qu'il y en a qui parlent & chantent des chansons fort bien, ce qui est vray; Mais ils ne doiuent point estre mis au rang de la Musique, entendu qu'ils ne font & ne sçauroient faire aucune harmonie ny consonance: Car pour faire harmonie il faut deux ou trois voix qui fassent des accords differents & qui s'accordent juste par le jugement de l'oreille; & qui voudroit attribuer cela aux oyseaux ce seroit leur donner l'vsage de la raison. Vn homme voulut apprendre à deux Perroquets à chanter la Musique il apprit à l'vn le Dessus d'vne chanson & à l'autre la Basse. Apres auoir pris beaucoup de peine pour les faire chanter le plus juste qu'il peust; celuy qui chantoit le Dessus le chantoit fort bien, & l'autre qui chantoit la Basse la chantoit fort bien aussi: C'estoit vne plaisante droslerie que de voir cét homme auecque ses deux Perroquets; je vous laisse à juger lequel des trois estoit le plus sage: car quand il commençoit à chanter le Dessus, pour faire chanter son Perroquet qui le sçauoit, il n'en vouloit rien faire: & comme il vit qu'il perdoit son Latin apres celuy-là, il se mit à chanter la Basse pour faire chanter le Perroquet qui la sçauoit; il luy prit enuie de chanter, mais son Camarade l'escoutoit & ne disoit mot: Cet homme se prit à chanter le Dessus pour s'accorder auec son Perroquet, afin de faire chanter l'autre; mais le Perroquet qui chantoit la Basse l'entendant chanter se mit à l'escouter, & apres s'estre bien donné de la peine, il ne sceut point du tout les faire chanter ensemble, il faudroit leur attribuer l'vsage de raison, comme j'ay dit cy-deuant.

En faueur de la Musique deux histoires admirables, La premiere d'vn Paon blanc.

IL m'a esté raconté par vn homme qui me faisoit l'honneur de m'aymer, & dont je faisois grande estime, il estoit de mon mestier de faiseur d'Instruments de Musique, lequel me raconta qu'vn Seigneur proche de Paris luy enuoya vn lacquais, pour le prier de luy enuoyer vn Luth de Boulogne qu'il auoit veu chez luy, & de venir se rejouïr auec vn maistre Ioüeur de Luth qu'il luy nomma, dont je n'ay pas retenu le nom, il donna le Luth au lacquais & promit de l'aller voir, & luy mener ce joüeur de Luth auec luy: Estans partis de Paris vn Samedy apres midy ils arriuerent au lieu du Seigneur dit, & furent fort bien receus, & ayans passé le reste du jour, le lendemain matin le joüeur de Luth estant leué plus matin que les autres & ce pourmenant au jardin, entendit sonner vne Messe en l'Esglise il fut l'entendre, estant de retour il prit son Luth pour s'entretenir estant seul, se pourmenant ne pensoit qu'à l'harmonie de son Luth, si tost qu'il fut entré dans le jardin il apperceut à son costé vn Paon blanc qui tournoit la teste de bonne grace, & le regardoit attentiuement, l'ayant consideré il voulut prendre garde si cét oyseau prenoit plaisir à l'harmonie, & ce destournant expres du iardin au clos, du clos à l'espalier, qui çà, qui là, par plusieurs & diuers endroits, s'en retourna au logis où le Paon ne manqua pas de le suiure toujours auec attention; ce joüeur de Luth ayant esté diligent apres auoir entendu la premiere Messe auoit eu ce contentement pendant que les autres estoient allez à la seconde Messe, comme il furent reuenus de l'Esglise, vous sçauez que c'est l'ordre de se mettre à table, entre la poire & le fromage, celuy qui auoit eu le plaisir du Paon se mit à raconter à la Compagnie ce que vous auez ouy cy deuant; ils se prirent à rire, & luy dirent, Que ne sçachant que faire il auoit inuenté vne bourde dont le menteur n'estoit pas loin, & rians à gorge desployée se mocquoyent de luy, apres leur auoir asseuré que ce qu'il auoit dit estoit vray au sortir du disner, il prit son Luth, & leur dit, Allons voir si le Paon est d'humeur à entendre le son du Luth, estant en la court on cherche le Paon, mais on ne le trouuoit point, se pensans mocquer de ce joüeur de Luth luy dirent, Ioüez, joüez de vostre Luth il viendra: aussi tost qu'il toucha le Luth, le Paon qui estoit sur vne muraille entendant le son du Luth s'en vint à tire-d'aisle aupres de celuy qui joüoit, & ce mit à le suiure en la mesme posture comme il auoit fait le matin, sans manquer d'estre toujours à son costé; toute la Compagnie bien esbaye de voir cet oyseau si attentif en l'harmonie de ce Luth, estoit rauie, admirant comme il suiuoit cet homme par tout auec singuliere attention. Mais ce n'est pas cela qu'il faut admirer, il faut considerer que ce Paon ne prenoit pas seulemẽt plaisir au son du Luth, mais aux accords & en l'harmonie, comme vous allez entendre; en suite de ce plaisir, la Compagnie passa le reste de la journée à d'autres diuertissemens, jusques au lendemain disner, cõme la Compagnie estoit à table, il prit enuie à vn Page de se dõner du plaisir du Paon, & prenant le Luth, il n'en sçauoit point joüer du tout, il racloit vn tran tran à sa mode, le Paon ne manqua pas à venir comme il auoit accoustumé, & suiuit quelque temps le Page: mais, chose admirable! quand il reconnut que le Page ne joüoit rien qui vaille, & n'entendant plus les accords & consonance, il se jetta sur le Page, auec ses griffes, son bec & ses aisles, de telle sorte qu'il luy fit quitter le Luth, & s'enfuir tout espouuanté au logis; ceux qui l'apperceurent si effroyé, luy demanderent ce qu'il auoit, & dequoy il auoit peur, il leur dit ce que le Paon luy auoit fait, & que le Paon c'estoit jetté sur le Luth pour le rompre, où ils coururent pour voir la verité qu'ils recognurent, & chasserent le Paon pour empescher le pauure Luth d'estre mis en piece, quoy qu'il eut des-ja les costes rompuës & la table cassée: Tous ceux de cette Compagnie ne croyoient pas ce qu'ils voyoient, tant la chose est admirable & incroyable; on me l'a asseurée veritable, c'est pourquoy je vous l'ay icy representée.

Autre histoire d'vne femme melancholique.

VN jour que j'estois en vn logis où on m'auoit mandé pour accommoder vn Clauecin, vn honneste Gentilhomme me vint accoster, me disant que c'estoit vn bel Instrument que le Clauecin, & que c'estoit vne chose admirable que la Musique,&me raconta vne Histoire qui luy estoit arriuée : Il me dit qu'il auoit vne fort honneste femme, & de fort belle humeur, laquelle estant tombée en vne longue & griefue maladie, enfin ayant recouuert la santé, il luy estoit resté vne grande melancholie, & si estrange, qu'elle ne prenoit plaisir à quoy que ce fust, elle estoit toujours sur son lict les rideaux tirez,& ne vouloit voir personne,ce qui affligeoit bien fort son mary & tous ses domestiques, pource que deuant sa maladie elle estoit fort jouialle, & comme son mary se plaignoit à vn de ses Amis, luy disant que cela l'affligeoit fort, il luy demanda s'il n'auoit point consulté quelque bon Medecin sur ce sujet;il luy dit qu'il auoit essayé tous moyens & toutes sortes de medicamens, pour tascher de remettre sa femme en sa premiere santé, & qu'il n'esperoit plus la reuoir en sa premiere humeur ; ce Gentilhomme luy dit, que puis qu'il auoit essayé toutes sortes de remedes,qu'il luy vouloit donner vne inuention qui reüssiroit selon sa croyance,& guariroit sa femme: Parlez (luy dit-il) au Maistre qui conduit le Concert des vingt-quatre Violons du Roy,& luy dites que vous desirez donner le plaisir de cette Musique à vne personne que vous voulez reiouïr, & qu'il prenne si bien son temps que leurs Instruments soient bien d'accords, afin que la personne à qui vous desirez faire entendre cette Musique, ne la puisse entédre que par vne surprise,sans qu'il soit besoin de de leur dire ce que c'est, seulement de leur bien recommander qu'ils ne sonnent point du tout leurs Violons, qu'ils ne commencent tout de bon & tous ensemble, ce qui fut fait si dextrement, que le tout reüssit merueilleusement bien: Et comme on eut fait tendre vne piece de tapisserie bien proche du lict, ayant pris le temps que la Damoiselle ne dormoit pas, les Violons commencerent tous ensemble, la force de ces Instruments, que vingt-quatre hommes font sonner de toutes leurs forces, & d'vne grande violence, tellement que la Damoiselle surprise, n'attendant rien moins que cette Harmonie, qui eut tant de force que de chasser tout à coup cette meschante melancholie, & reprit sa premiere santé & sa gaillarde humeur. Ce Gentilhomme me racontoit cette histoire presente, de telle vehemence & affection, & apres me l'auoir racontée de telle sorte, je l'ay creuë veritable. Voyez par ces deux histoires comme la force de l'Harmonie est aymable & admirable, qu'vn oyseau a recognu les beaux chants, les belles consonnances & l'Harmonie, contre les dissonnances, raclement & desordres que faisoit le Page: Et aussi de la Damoiselle qui fut guerie, de cette grande melancholie qui la detenoit de long-temps, démonstre bien que c'est vne chose bien excellente que la Musique: il y a eu des hommes qui m'ont dit qu'il courroient dix lieuës loing, pour entendre vne bonne Musique; d'autres m'ont dit trente lieuës, & toutes les fois qu'il s'est fait Musique de reputation, dont je suis fort curieux, je les y ay toujours rencontré, ce qui me fait croire que ce qu'ils disent est vray.

Des huict Tons de l'Eglise.

IE n'ay point rencontré d'Autheur qui ait escrit du Traité des Tons que l'on chante à l'Eglise, (& que l'Organiste doit ſçauoir, (qui puiſſe donner à entēdre à ceux qui veulent apprendre ce qui eſt de leur eſtenduë. C'eſt pourquoy je me ſuis reſolu d'en eſcrire, comme je l'ay appris, & qu'il eſt obſerué au Pleinchant que l'on chante aux Egliſes : comme les Organiſtes les doiuent toucher & finir pour la commodité du Chœur ; & en ſuite comme les Fugues & ſujets ce doiuent traiter.

Premierement il faut ſçauoir, que ceux qui ont composé les Antiennes & les chants de la Pſalmodie, ne ſe ſont ſeruis que du Diatonique, qui eſt vn des trois genres de Muſique, comme vous pouuez voir cy-deuant, & par conſequent ils ne ſe ſont ſeruis que des touches du Clauier, ſans s'aſſujettir aux feintes ou dieſes, pour ne point tant donner de peine à ceux qui veulent apprendre à chanter le Pleinchant ; or mis qu'ils ont obſerué le ♮ *mol*, & ont donné à entendre que tout ce qui ce chante au deſſus du *la*, ce doit chanter *fa*, ce qui eſt tres-faux, s'il n'eſt marqué, & toute perſonne qui chante ſoit Muſique ou Plein-chant, n'eſt point obligé de chanter que ce qu'il voit eſcrit : car ce ne ſeroit pas chanter, mais ce ſeroit composer, ce que je pourrois prouuer par pluſieurs exemples.

L'ordre des Tons, & leurs propres touches.

Le premier *ré, la.*	Le cinquieſme *fa, fa.*
Le ſecond *ré, fa.*	Le ſixieſme *fa, la.*
Le troiſieſme *mi, fa.*	Le ſeptieſme *vt, ſol.*
Le quatrieſme *mi, la,*	Le huictieſme *vt, fa.*

Il faut ſçauoir les propres touches où il faut commencer & finir les Pſeaumes, le *Magnificat*, & le *Benedictus*, ſelon les Tons que ſont les Antiennes.

Le premier ton commence en *D la, ré, ſol,* ſa dominante

en *A mi, la, ré,* & sa mediante en *F vt, fa.*

Selon l'Antiphonié, le second ce deuroit commencer aussi en *D la, ré, sol;* mais pour la commodité du Chœur, l'Organiste le doit toucher en *G ré, sol, vt,* par ♮ *mol,* & ces cordes sont *ré,* en *G ré, sol, vt,* & sa dominante *fa,* en *B fa,* qui est vne quarte plus haut que son naturel.

Le troisiesme qui se chante *mi, fa,* faut entendre que le *mi,* qui est sa premiere touche est en *E mi, la,* & sa dominante en *C sol, vt, fa,* la Clef qui est vne sixte mineure contre la pensée de plusieurs qui croiroyent que ce fut vn semiton, & ce que dessus pour l'*Antienne* seulement, & pour le *Magnificat* & pour le *Benedictus* il se commence en *G ré, sol, vt,* & sa dominante en *C sol, vt, fa,* & finit en *A mi, la, ré;* Mais pour la commodité des chantres on le doit toucher en *F vt, fa,* par ♮ *mol,* sa dominante en *B fa,* & le finir en *G ré, sol, vt.*

La quatriesme commence au *mi,* d'*E mi, la,* & sa dominante en *A mi, la, ré;* & ce ton est nommé Arithmetique entendu qu'il a sa quarte en bas au contraire de tous les autres, & n'a point de cadence parfaite, & n'y a que luy seul qui n'en a point, & ce finit en *E mi, la.*

Le cinquiesme qui est *fa, fa,* commence en *F vt, fa,* & sa dominante en *C sol, vt, fa,* la Clef, & finit en *A mi, la, ré;* Mais pour la commodité du Chœur on le commence en *C sol, vt, fa,* & sa dominanre en *G ré, sol, vt,* & finit en *C sol, vt, fa.*

Le sixiesme commence en *F vt, fa,* & sa dominante en *A mi, la, ré,* & finit en *F vt, fa,* par ♮ *mol.*

Le septiesme en son naturel commence en *G ré, sol, vt,* sa dominante en *D la, ré, sol,* passe jusques en *F vt, fa,* proche la Clef de *G ré, sol, vt,* & se termine & finit en plusieurs sortes de façons & diuerses touches; mais l'Organiste le doit toujours finir en *G ré, sol, vt,* par ♮ *mol,* & laisser chanter les

Chantres comme il eſt eſcrit dans leurs Liures.

Le huiſtieſme commence en *G ré, ſol, vt*, & ſa dominante en *C ſol, vt, fa*, & finit en *G ré, ſol, vt*, par ♮ *quarre*; mais pour la commodité des Chantres il faut le toucher & *F vt, fa*, par ♭ *mol*, & ♭ *mol* par tout

Il eſt bien difficile d'eſcrire d'vne ſcience dont perſonne n'a point encore eſcrit, & que tous ceux qui la profeſſe n'ont point de certitude, & meſme dans la conference que l'on peut faire auec les doctes, il y a de la difference aux opinions: Pour exemple, j'ay veu donner vne Fugue ou ſujét à trois Organiſte, dont la Fugue eſtoit celle qui ſuit.

Auquel troiſieſme fut jugé auoir le mieux fait, quoy qu'il ſortit de ſon Diapaſon: mais il faut conſiderer que la touche qui ſurpaſſe le Diapaſon fait cadence pour la dominante: C'eſt pourquoy il a eſté fort bien jugé; mais paſſant dans l'examen il deuoit eſtre rejetté.

Traité des Fugues, & comme il les faut traiter.

AYant cy-deuant deſmonſtré l'ordre & l'eſtenduë des tons, & deſmonſtré les touches, de leurs commencements, de leurs dominantes, & mediantes, s'enſuit de monſtrer l'ordre des Fugues, & comme il faut faire entrer la ſeconde Partie ſuiuant la premiere, & de combien de ſortes il y en a.

Deux choſes ſont à remarquer & à obſeruer diligemment à toutes ſortes de Fugues, que la ſeconde Partie qui entre doit auoir autant de touches que la premiere en a ſonné; de meſme accent, & de meſme mouuement: & en ſecond lieu faut obſeruer que le *fa* ſoit touché en meſme nombre & quantité que celuy du ſujét.

Exemple.

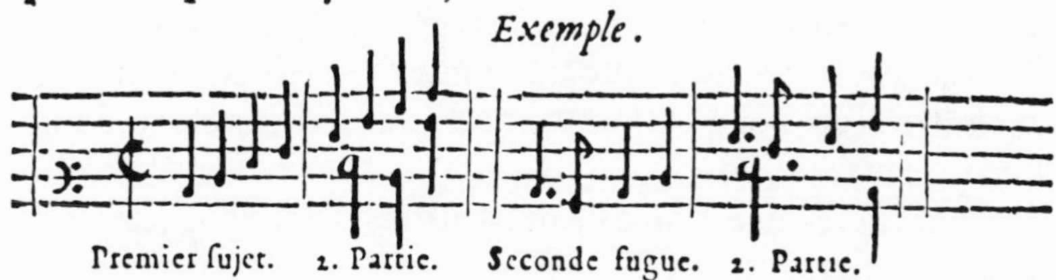

Comme vous voyez que le *fa*, de la premiere Fugue eſt la ſeconde notte, la ſeconde partie a ſon *fa* la ſeconde notte; & la ſeconde Fugue a ſon *fa* à la quatrieſme notte, il y en a qui diront que je ne dis rien de nouueau, & qu'il ne ſe peut faire autrement: je vais monſtrer le contraire d'vn Organiſte, lequel fut mandé pour toucher les Orgues d'vne Parroiſſe, en l'Office de la Dedicace de l'Egliſe, lequel Organiſte deuoit eſtre diſpoſé & preparé, fit cette faute en vn des verſets de l'Hymne.

Voyez donc par cét exemple que ceux qui croyent eſtre des plus doctes, ce ſont ceux qui font les plus lourdes fautes: & qu'au lieu d'obſeruer l'Harmonique au quatrieſme Ton, il veulent obſeruer l'Arithmetique, & au lieu de commencer la ſeconde partie à la quinte, ils la veulent faire commencer à la quarte, comme vous voyez; que ſi cet Organiſte eut commencé en ♮ *mi* au lieu de commencer en *A mi*, *la*, *ré*, il eut trouué ſon compte; c'eſt pourquoy il faut bien obſeruer la quantité des nottes & auſſi le *fa*, en ſon nombre là où il doit eſtre comme j'ay monſtré cy-deuant, & ne pas faire vn *mi*, pour vn *fa*. Voila pour ſeruir d'aduertiſſement à ceux qui entreprennent de faire des Fugues, & on verra en ſuite comme il faut faire pour faire & ſuiure des Fugues de tous les Tons. Faut remarquer que les Fugues ce peuuent commencer à l'vniſſon, à la quinte, ou à l'octaue, à la diſcretion de celuy qui entreprend.

Pour le premier Ton que nous auons dit eſtre *ré*, *la*.

Exemple Premiere.

·: Licence que l'on peut faire au milieu de la piece & non pas en commençant.

Autre fugue du premier Ton. Seconde Partie.

Le ſecond Ton eſt pareil au premier, horſmis qu'il eſt tranſpoſé d'vne quarte, & ce doit toucher en *G ré*, *ſol*, *vt*, par *B mol*: S'enſuit deux Fugues du ſecond Ton, qui eſt *ré*, *fa*.

Pour le troiſieſme qui eſt *mi*, *fa*, ce doit toucher en *G ré*, *ſol*, *vt*, par *B mol*, & eſt tout pareil au ſecond Ton; c'eſt pourquoy je n'en feray point d'exemples ny de Fugues.

Pour le quatrieſme Ton, qui eſt *mi la*.

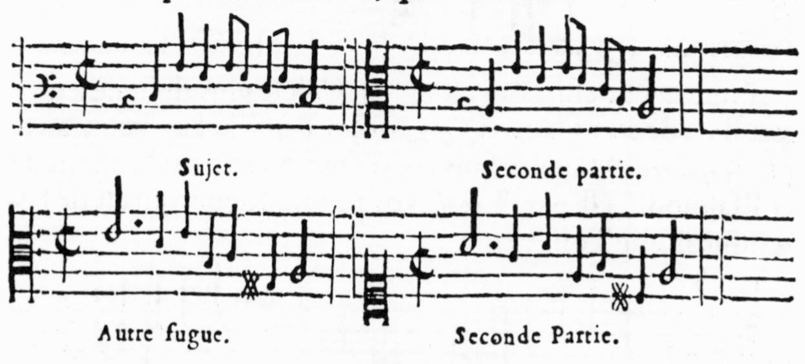

Pour le cinquieſme qui eſt *fa*, *fa*, faut entendre qu'il commence en *F vt*, *fa*, & ce finit en *A mi*, *la*, *ré*, ſelon l'Antiphonié; mais l'Organiſte le doit toucher en *C ſol*, *vt*, *fa*, & le finir auſſi en *C ſol*, *vt*, *fa*.

Pour le sixiesme qui est *fa*, *la*, ce touche en *F vt*, *fa*.

Pour le septiesme qui est *vt*, *sol*, c'est le plus difficile à traiter, il y a de tres sçauans Organistes à qui je l'ay veu traiter par ♮ *quarre*; Mais il le faut traiter par ♭ *mol*: car le chant de la Psalmodie est par ♭ *mol*, voyez vne fugue qui est de l'etenduë dudit Ton.

∴ I'ay fait cette seconde Partie pour exemple, auec le Contrepoint, pource qu'elle est fort difficile à traiter.

Pour

Pour le huictieſme Ton qui eſt *vt, fa*, il le faut toucher en *F vt, fa*, par ♭ *mol*, & ♭ *mol* par tout : il faut entendre que ce Ton eſt pluſtoſt Arithmetique qu'Harmonique ; car ſi on le traite Harmoniquement, ce ne ſera pas du huictieſme Ton, ce ſera du ſixieſme ; & pour donner à entendre la difference, c'eſt que le ſixieſme a le *C ſol, vt, fa*, pour ſa dominante, qui eſt ſa quinte en haut, & le huictieſme a ſa quinte en bas en *B fa*, & toutes les fugues qui commencent en *F vt, fa*, la ſeconde partie ce doit commencer en *B fa*, pour le huictieſme : Voila la difference de ces deux Tons, voyez la premiere fugue.

Premiere Partie. Seconde Partie.

Premiere fugue. Seconde Partie.

Voila ce que j'ay pû recognoiſtre & obſeruer en l'eſtenduë de tous les Tons : l'Organiſte ſera aduerty qu'aux Religions, pource qu'ils ont quantité de voix en leurs Chœurs qui peuuent chanter plus haut que les Chappiers des Parroiſſes, il faut toucher le huictieſme Ton en *G ré, ſol, vt*, par ♮ *quarre*, & auſſi le troiſieſme Ton en *A mi, la, ré*, par ♮ *quarre*.

Traité des Fugues, & comme il les faut traiter.

IL faut deſmonſtrer maintenant combien il y a de ſortes de fugues, & comment il les faut traiter : Le Pere Parran a fait vn Traité de Musique dans lequel il donne à entendre qu'il n'y a que de trois sortes de fugues, dont il a raison pour la Musique Vocale ; mais pour l'Instrumentale, & principalement pour l'Orgue, il y en a de quatre sortes ; comme vous pourrez voir en ce qui suit cy-apres : La premiere, c'est la fugue simple, comme celles qui sont cy-deuant de tous les Tons : La seconde, c'est la fugue double, laquelle est nommée double, parce qu'il faut faire sõner deux fugues de mouuement contraire, l'vne quant-&-quant l'autre, & quand on a entrepris de traiter les deux fugues d'abord, on est obligé de les continuër, & faire chanter les deux fugues toujours ensemble, comme vous pouuez voir par l'exemple qui suit.

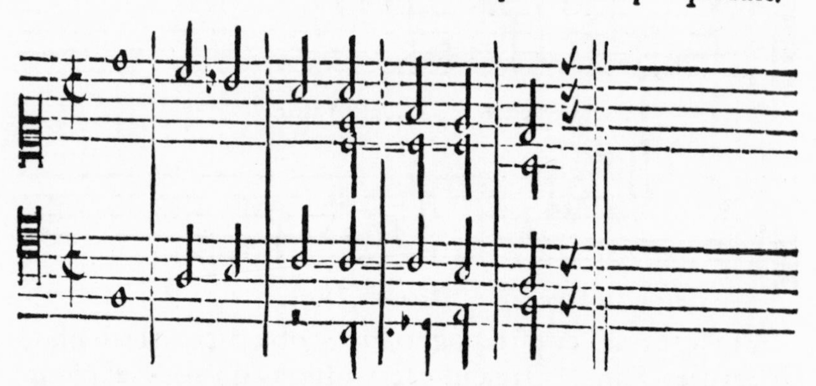

Cette fugue est difficile, & n'est pas fort agreable, à cause des deux Parties qu'il faut toujours faire chanter ensemble, & est fort embarassante.

La troisiesme fugue c'est la fugue renuersée, qui est bien plus belle & plus facile à traiter que la precedente, pource que la precedente poursuit les deux fugues tout ensemble, & à celle-cy on n'est obligé qu'à les faire suiure l'vne apres l'autre, comme vous pouuez voir en cette exemple.

La quatriesme fugue, c'est la fugue continuë, c'est cette fugue-cy qui n'est propre que pour l'Orgue: car à la Musique vocale elle ne se peut faire, principalement quand il y a texte; mais on la pourroit bien faire en cas qu'il n'y eut point de paroles

Faut entendre la nature de la fugue continuë, que depuis qu'on a commencé la fugue, & que la premiere Partie a fait la fugue, elle doit toujours chanter en quelque Partie que ce soit, & aussi-tost qu'elle est acheuée d'vne Partie, vne autre Partie la doit faire, & ainsi les parties les vnes apres les autres la doiuent toujours suiure de prés, & ne rien faire du tout entre deux fugues: car elle ne seroit pas fugue continuë si on la laissoit, & doit estre toujours entenduë depuis le commencement jusques à la fin, & c'est pourquoy on l'appelle la fugue continuë, & ne l'ay point entenduë toucher & poursuiure si bien qu'à Monsieur Bienuenu, qui est celuy qui m'a enseigné la Musique, & à toucher des Orgues: Elle doit estre fort courte, & ne doit auoir que quatre ou cinq nottes, on peut bien faire quelque passage au milieu de la piece, mais qu'il ne soit que d'vne mesure tout au plus, & reprendre tout aussi-tost la fugue: Voila ce qui ce peut dire des quatre fugues principales.

Voicy vne autre piece qui est bien belle & bien curieuse, & je ne sçay comment je la dois nommer, pource que l'on n'est point obligé de suiure aucun sujet, entendu que toutes les fugues sont differentes, & pour bien donner à entendre, faut prendre le Pleinchant de l'Hymne de sainct Iean Baptiſte, où il y a ſix ſyllabes qui repreſentent les ſix monoſyllabes de la Muſique, deſquelles nous nous ſeruiront pour donner à entendre comme il faut traiter cette piece: Faut premierement entendre qu'il faut prendre la premiere fugue du Plainchant, qui eſt *Vt queant laxis*, & faire chanter à la ſeconde fugue *reſonare fibris*, cõme eſt le Plainchant; la troiſieſme chantera *Mira geſtorum*, & la quatrieſme *famuli tuorum*, comme le Plainchant: Voilà quatre Parties entrées, qui ſont quatre ſujets differents, qui font quatre fugues; reſte donc deux fugues à faire, qui ſont *Solue polluti labij reatum*, que l'Organiſte fera à ſa liberté à telle Partie qu'il voudra, leur faiſant chanter le Plainchant comme les autres: Il reſte quatre nottes pour acheuer le Verſet, où il y a *Sancte Ioannes*, l'Organiſte doit faire poinct d'Orgues ſur chaque notte, ou bien faire la fugue continuë, comme Monſieur Titelouze l'a faite dans ſon Liure des Hymnes. Cette maniere de coupler eſt fort peu vſité, pource qu'il y en a beaucoup qui n'y penſe pas, & n'en ont pas l'intelligence, & eſt fort agreable à traiter & à entendre; quelque Organiſte qui eſcouteroit ne prenant point garde à l'intention de celuy qui touche, pourroit dire à la vollée que c'eſt vn mauuais Organiſte, & qu'il ne ſuit pas ſa fugue, n'ayant pas la ſcience de cognoiſtre l'intention de celuy qui touche. Voila tout ce que j'ay peu recognoiſtre & obſeruer des tons & des fugues, pour en dõner la cognoiſſance à ceux qui deſirent d'apprendre, & contentement aux ſçauants, qui auront le plaiſir de voir ſi j'ay bien fait, & ceux qui aſpirent à la ſcience y pourront profiter, & m'en ſçauront gré.

La maniere de bien jouër de l'Eſpinette & des Orgues.

VN Philoſophe diſoit à ces Diſciples qu'il reſſembloit à la queuë, laquelle ne couppe pas; mais elle fait coupper: on pourroit dire la mesme chose de moy disant, il veut enseigner ce qu'il ne doit pas, entendu qu'il y en a qui le deuroient entreprẽdre plustost que luy, & qui jouënt beaucoup mieux que luy de l'Espinette: il ne s'ensuit pas que pour ne pas jouër si bien, comme je sçay bien qu'il y en a qui jouënt mieux que moy, (mais il y en a peu, & qui ne veulent pas ce donner la peine d'escrire,) que je ne sçache bien donner à entendre comme il faut bien jouër & donner bon ordre à la position de la main, qui est le principe de bien jouër. Il y a des Maistres qui font poser la main en telle sorte, que le poignet est plus bas que la main, ce qui est tres-mauuais & à proprement dire vn vice, pource que la main n'a plus de force: d'autres font tenir le poignet plus haut que la main, qui est vne imperfection, pource que les doigts paroissent comme des bastons droits & roides; mais pour la bonne position de la main, il faut que le poignet & la main soit de mesme hauteur, s'entend que le poignet soit en mesme hauteur que le gros nœud des doigts de la main. Quand je commençay à apprendre, les Maistres disoient pour maxime, que l'on ne joüoit jamais du poulse de la main droite; mais j'ay recognu depuis, que si on auoit autant de mains qu'en auoit Briarée, on les emploiroit toutes, quoy qu'il n'y ait pas tant de touches au Clauier.

Apres la position de la main, faut parler des pincements, fredons & cadances parfaites: Les pincements se font selon la valeur des nottes, & par consequent il y a de deux sortes de pincements, le simple qui est de la valeur d'vne crochuë, & l'autre qui est double est de la valeur d'vne noire; Le fredon est de la valeur d'vne blanche, sans le fermer & conclure comme la cadance: & apres il y a la cadance parfaite qui est fermée & concluë entierement. Il y en a qui font de grandes fautes, principalement quand ils commencent vne fugue; car quelque notte que ce ſoit, ils font le pincement tant que la notte vaut, qui eſt vne grande faute, par exemple s'il commence vne fugue en *G ré, ſol, vt*, ils font le tremblement en *G*, & en *A*, & le faiſant tant que la notte vaut, perſonne ne ſçauroit juger s'il veut commencer en *G* ou en *A*, & par ainſi on ne ſçauroit juger le commencement de ſa fugue: Or pour ſe donner de garde de cette faute, il faut que vous ſoyez aduertis, que tout Organiſte que ce ſoit ne commence point de fugues en pinçant, que le pincement ne ſoit que de la moitiée de la valeur de la notte qu'il veut commencer, afin que le reſte de la moitiée de la notte ſoit tenuë ferme, & dõne à entendre que c'eſt ſur cette notte là qu'il a voulu commencer, & pour bien faire quand on veut commencer vne fugue, en touchant la premiere notte on doit abbattre ſa voiſine quant-&-elle & la laiſſer, tenant celle qui doit ſonner: car quand aux animations du toucher de l'Orgue, ils ſont pareils aux ombrages de la peinture, (que le Peintre doit bien prendre garde que l'ombrage qu'il poſe pour faire paroiſtre le relief & la boſſe, ne faſſe pas vn broüillis qui bleſſe la veuë,) auſſi l'Organiſte doit bien prendre garde de ne pas tant remuër & fretiller des doigts, qu'il faſſe cõfuſion & vn broüillis qui empeſche d'entendre les conſonnances & les mouuements: car celuy qui fait bien les pincements, tremblemẽts, fredons & cadances bien à propos, doit eſtre tenu bien ſçauant: S'il y a quatre nottes de ſuite, il faut prendre garde de n'en pincer que deux; ſçauoir, que ſi vous pincez la premiere, il faut pincer auſſi la troiſieſme, & ne pas pincer la ſeconde ny la derniere; & ſi vous voulez pincer la ſeconde, il faut auſſi pincer la quatrieſme, & ne pas pincer la premiere ny la troiſieſme, autrement ce ſeroit confuſion & broüillement: On ne doit point pincer les crochuës qui ſont en paſſages que fort rarement, & ſi les nottes deſcendent il faut pincer au dessus, & si elle monte il faut pincer au dessous, de deux l'vne comme j'ay dit cy-deuant.

Cela est beau de voir vne personne qui joüe bien & de bonne grace, & qui a la main bien posée; mais il faut bien prendre garde de ne pas toucher de force ny de contrainte: car qui que ce soit qui est contraint ou forcé en ses mains, ou en son corps, ne touchera jamais bien; c'est pourquoy les Maistres qui enseignent, doiuent bien considerer la capacité de la personne à qui il monstre, si elle est capable de toucher selon les Regles, & si les doigts le peuuent faire: car de vouloir contraindre vne personne de faire la cadance des deux doigts de derriere, & ces doigts ne le peuuent pas faire que par contrainte, il faut le laisser faire la cadance des deux premiers doigts, & couper la cadance, & la fermer auec le premier doigt subtilement comme je la fais, & si j'eusse voulu me contraindre de la faire comme on la doit faire, je n'eusse jamais bien joüé de l'Espinette ny de l'Orgue.

Des mauuaises coustumes qui arriuent à ceux qui joüent des Instruments.

ESTant du mestier de faiseur d'Instruments de Musique, je suis obligé de receuoir toutes sortes de personnes en ma boutique, aucuns viennent pour voir & entendre mes Ouurages, d'autres viennent pour achepter, & par ainsi j'ay le contentement de voir toucher toutes sortes de personnes, & de voir toutes les simagrées & postures qui se font, dont plusieurs personnes ne se donnent point de garde, & les Maistres qui enseignent ne peuuent pas voir si bien, parce qu'il faut que leurs Escoliers fassent ce qu'ils leurs enseignent; mais moy je remarque tout sans leur rien dire; autresfois je leur disois auec liberté, mais j'ay recognu qu'il y en auoit qui le prenoient de mauuaise part, je me suis retenu de cette grande liberté, & l'ay bien voulu faire dire au papier, peut-estre que quelqu'vn ne s'en offencera pas si tost que de la parole. Il viendra quelquefois vn jeune enfariné me demander vn bon Claueçin ou vne Espinette, lequel pensant faire des merueilles a plus de peine à tourner la teste, & regarder si je prends garde à ce qu'il joüe, qu'il ne prends garde à ce qu'il fait, & pour ce faire entendre il fera plus de bruict auec son pied, pour battre la mesure, que l'Instrument qu'il sonne. Autres font bien plus plaisamment, qui font là moitiée de la cadance en l'air, & font sonner le reste: Autres branles la teste à chaque moment auec vn grondement qui est assez drolle. I'ay veu vn jeune homme qui joüoit fort bien, & de trois mesures en trois mesures il faisoit vn clacq auec sa langue, si haut que j'eus bien de la peine à m'empescher de rire: Vn Organiste qui touche fort bien l'Orgue & l'Espinette, qui n'est point Organiste de Paris, quand il veut joüer quelque chose qui croit estre bien fait, il jette ses deux jambes tout d'vn costé, & met son corps de trauers auec vn renfrongnement de visage, ce qui est presque insupportable à ceux qui le voyent toucher. I'ay escrit toutes ces choses cy-dessus, pour aduertir ceux qui sont des-ja accoustumez à ces imperfections, de leurs en donner de garde, & aux Maistres qui enseignent, de prendre garde que leurs Escoliers ne prennent point de mauuaises habitudes.

F I N.

APPENDIX

Photographic reproduction of the title page and pages 10, 13, and 14 of the first edition, 1643, of Jean Denis' *Traité de l'accord de l'épinette*. The copy from which these sample pages were reproduced belongs to the Bibliothèque Mazarine, Paris.

For further information on the 1643 edition and on the marginalia written in the Bibliothèque Mazarine's copy, see footnote 2, pages V and VI, above.

TRAITTE'
DE L'ACCORD
DE L'EPINETTE,

Auec la Comparaiſon du Clauier d'icelle, à la Muſique Vocalle.

Par I. DENIS, Organiſte de ſainct Barthelemy à Paris.

A PARIS,

M. D. C. XLIII.

cord repugnoit fort à leurs eſpe-
rances, & que les tierces majeures
eſtoient trop fortes, & ſi rudes que
l'oreille ne les pouuoit ſouffrir, &
qu'ils ne trouuoient point de ſemi-
tons ny majeurs ny mineurs, mais
vn ſemi-ton moyen, qui n'eſt ny
majeur ny mineur, eſtant plus foible que le majeur, & plus fort que
le mineur; & que les cadences ne
valoient rien, ne pouuant ſouffrir
cette rudeſſe qui bleſſoit ſi fort le
ſens de l'ouye, qui donne le plus de
plaiſir à noſtre ame; ſe reſolurent
de temperer ſi bien cét accord, que
l'oreille fut auſſi contente de la Muſique Inſtrumentale, que de la Vocale: Et voulant baiſſer les tierces
majeures, ſe trouua que par neceſ-
ſité il falloit baiſſer toutes les quintes & les temperer, en ſorte que l'o-
reille le peut ſouffrir. De vous dire

13

ſuperflu, le ton majeur eſtant compoſé d'vn ſemi-ton majeur, & d'vn ſemi-ton mineur, & le ton ſuperflu eſt compoſé de deux ſemi-tons majeurs, dont les Muſiciens ne ſe ſeruent point du tout: & ſe rencontre en deux endroicts qui ſont aux deux touches qui n'ont point de feintes, ſçauoir en *D la re ſol*, & en *A mi la re*, qui ont des deux coſtez vn ſemi-ton majeur, & toutes les autres touches ont vne feinte d'vn ſemi-ton mineur, qui eſt le ſemi-ton qui ne ſert qu'à la Cromatique; & quant à l'Harmonique, on ne s'en ſert point du tout, ſoit pour chanter, ſoit pour joüer des Inſtrumens. Les Theoriciens trouuent trois ſortent de tons, & trois ſortes de ſemi-tons, ſçauoir ton majeur, ton mineur, & ton ſuperflu; & auſſi trois ſortes de ſemi-tons, ſemi-ton majeur, ſemi-ton

14

mineur, & ſemi-ton moyen, ce qui n'eſt point en vſage, ſçauoir le ton mineur, & le ſemi-ton moyen; & pour faire le ton mineur, il eſt compoſé d'vn ſemi-ton moyen & d'vn ſemi-ton mineur plus foible que le ton majeur: Mais dans la pratique de la Muſique, & en noſtre accord Harmonique, il ne ſe trouue point de ton mineur, ny de ſemi-ton moyen: la difference des deux accords eſt, qu'en l'accord qu'on nous preſente; il n'y a ny ſemi-ton majeur ny ſemi-ton mineur, mais le ſemi-ton moyen & le ton majeur pareils aux noſtre; car pour faire le ſemi-ton moyen, on baiſſe le ſemi-ton majeur, & ce faiſant on hauſſe le mineur, & par ce moyen tous les ſemi-tons ſont égaux. Or eſtant en l'aſſemblée de fort hõneſtes gens, & entendant cét accord que ie treuuay